D0767236

DICTIONNAIRE
DE
L'AMOUR

Direction éditoriale
Charlotte Ruffault

Direction artistique
Gérard Lo Monaco

Coordination
Ilona Zanko

Auteur des mots
Louis Aubert, Charlotte Ruffault

Auteur de la théorie
Christian Vaillant

Maquette
Caroline Buffet

Dessin de couverture
Rémi Saillard

© Syros, 9 *bis*, rue Abel-Hovelacque 75013 Paris

DICTIONNAIRE
DE
L'AMOUR

SYROS

Préface

Cinquième titre d'une collection d'humeurs (sentiments, émotions, rêves, caractères), le *Dictionnaire de l'amour* s'inspire une fois encore de la personne humaine pour en restituer, par ordre alphabétique, quelques reflets.

Deux voix se font entendre, celles d'un homme et d'une femme, qui parfois s'harmonisent, parfois divergent. Ils évoquent, à leur manière et selon leurs critères, l'amour vécu, l'amour rêvé, l'amour déçu, l'amour envié, l'amour toujours...

Ils ont puisé dans l'expérience de leurs histoires d'amour pour dresser la liste des mots-phares d'un état amoureux qui naîtrait une première fois à la sortie de l'enfance et qui renaîtrait encore et encore tout au long de la vie.

Ils étaient deux, un troisième est venu mêler sa plume pour tenter de cerner, en son âme et conscience, et en dehors de toute théorie, les états de l'âme amoureuse.

Ils sont donc trois dans ce dictionnaire à raconter l'amour naissant.

Trois au service d'un lecteur qui, nous l'espérons, se retrouvera derrière les mots comme dans un miroir.

Mode d'emploi

Ce dictionnaire propose trois lectures
du sentiment amoureux

• 60 mots-clés de l'état amoureux, racontés au masculin
et au féminin.

• 30 grands moments d'amour extraits de la littérature
classique ou contemporaine.

• 8 interrogations sur l'amour :
Un sentiment inexplicable (p.31), Aimer dans le tourment (p.63),
Le « toujours » (p.91), Amour aveugle ou amour lucide ? (p.113),
Quand devient-on amoureux ? (p.135), Jalousie ou amours multiples ? (p.163), L'exigence de l'amour (p.209), Aimer (p.243).

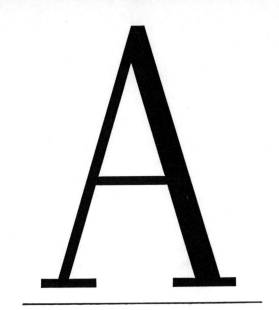

A

ABANDON • AMOUR FOU • ATTENTE

ABANDON

D'un regard, il attendrit son sourire. D'un mot tendre, il affaiblit ses défenses, il réveille son désir. Elle plie. Il la soutient. Sa force la rassure, elle s'assouplit encore. Il se penche, elle se renverse. Il embrasse son cou, elle lui offre sa gorge et ses lèvres. Pas une once de remords. Le désir mène la danse.

ABANDON

Elle fait un pas un peu hésitant, un peu craintif, et pose sa tête sur sa poitrine. Il sent sa chaleur et goûte yeux fermés le parfum de ses cheveux.

Puis il l'embrasse et perçoit un très léger et émouvant relâchement, comme si, danseuse, elle avait trouvé le pas juste.

AMOUR FOU

Un matin, il retrouve les lettres qu'elle lui envoyait quotidiennement. Malgré tout le temps passé il redécouvre, page après page, l'amour insensé et destructeur qui leur laissait le cœur et l'âme à nu. Ce sont des lettres belles et folles, écrites dans le mouvement ample et rageur du génie amoureux, pleines de bousculades et de cris, où les corps se mêlent et jouissent, mais où chaque mot supplie. Car il s'en aperçoit maintenant : toutes ces lettres contenaient en filigrane un appel au secours et réclamaient la fin du supplice d'un amour total et dément.

AMOUR FOU

Il a déposé un poison sur son âme. Un poison délicieux, qui tantôt l'enivre et tantôt la dévaste. Maintenant il n'y a plus que lui en elle. Elle se nourrit de leurs rencontres, s'enflamme pour un détail, le passe et repasse dans sa tête jusqu'à l'obsession. Il l'a élue. Elle s'extasie, hors du monde et des autres. Soumise à l'ardeur des sens, elle oublie toute protection et s'expose au virus de la mort.

D'emblée, nous fûmes passionnément, gauchement, franchement, atrocement amoureux ; désespérément, devrais-je dire aussi, car nous n'aurions pu apaiser ce désir de possession mutuelle qu'en nous imprégnant littéralement l'un de l'autre, en nous dévorant réciproquement jusqu'à la dernière particule du corps et de l'âme.

V. Nabokov, *Lolita*, traduction E.H. Kahane, © Gallimard.

ATTENTE

Le train est parti, il a regardé les deux
petits yeux rouges disparaître dans la nuit.
Il est seul sur le quai, il sent le froid du
béton à travers ses chaussures, il tousse, il
a froid.

Comment peut-elle s'absenter alors que
leur rencontre est si fraîche et fragile ?
L'aime-t-elle assez ?

Il se sent dépouillé, déconstruit, et souffre
comme il n'a jamais souffert. Trois jours
d'attente, trois jours d'absence. Ces trois
jours de sa vie, il les lui sacrifierait s'il
pouvait. Mais il sent confusément – et cela
ajoute encore à sa rage – qu'en voulant
précipiter ces trois jours d'attente il préci-
pite malgré lui leur amour vers sa fin.

ATTENTE

L'heure compte. L'heure de sa venue, l'heure de son départ, après. Elle pourrait regarder sa montre, mais c'est inutile. Elle a d'autres repères : les cris, les clés, les casseroles, les télévisions. Chaque bruit réduit l'attente et relance l'attention. Mais ce n'est pas son bruit à lui, sa pétarade de mobylette, tellement exaspérante pour les autres, tellement tranquillisante pour elle. Il sonne. Il est là, elle oublie tout. Il se lève, il tourne en rond, il va partir. Tout faire pour le retenir, chasser le temps. Oublier l'heure et tous ces mauvais bruits qui rythment les journées sans lui.

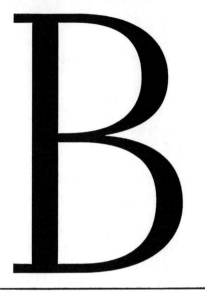

B

BAISER • BEAUTÉ • BONHEUR

BAISER

Après la danse : un rock brutal presque furieux, il a gardé sa main. Il souriait d'un air absent en l'entraînant doucement, comme si elle était devenue soudainement très précieuse. Ils ont longé des couloirs sombres.

Ils jouaient dans un rêve. Un fluide brûlant courait en elle et la rendait confiante, heureuse. Il s'est arrêté. Elle a senti ses doigts sur son visage qui glissaient lentement et son souffle sur ses lèvres et sa langue à l'entrée de sa bouche. Ils ont goûté le plaisir gourmand de leur premier baiser.

BAISER

Le souffle court. Le désir et le temps qui se précipitent. Puis l'absence, lorsque leurs lèvres se joignent. L'absence à la grande avenue, au bruit des voitures, aux guirlandes de lumières qui illuminent la nuit. Il est projeté en dehors de tout cela, dans un espace où il n'est plus tout à fait seul, ni tout à fait avec elle, entre le temps et la durée, et heureux.

Il revient à lui lorsque leurs lèvres se quittent. Il voit ses cheveux dorés et ses yeux bleus transparents de clarté. Il lui dit qu'elle est magnifique.

— Embrasse-moi, Phil, je t'en prie,
je t'en prie...

Il l'embrassa, mêlant à son propre
plaisir la mauvaise grâce de
l'extrême jeunesse qui ne vise à
combler que ses propres désirs, et
la mémoire trop précise d'un autre
baiser, qu'on lui avait pris sans le
lui demander.

Mais il connut contre ses lèvres la
forme de la bouche de Vinca, le
goût qu'elle gardait du fruit enta-
mé tout à l'heure, l'empressement
que mit cette bouche à s'ouvrir, à

découvrir et à prodiguer son secret
– et il chancela dans l'ombre.

« J'espère, pensa-t-il, que nous
sommes perdus. Oh ! soyons vite
perdus, puisqu'il le faut, puisqu'elle
ne voudra plus, jamais, qu'il en soit
autrement… Mon Dieu, que la
bouche de Vinca est inévitable et
profonde, et savante dès le premier
choc…

Oh ! soyons perdus, vite, vite… »

Colette, *Le Blé en herbe*, © Flammarion.

BEAUTÉ

Il est émerveillé par le dessin de sa bouche, fasciné par le galbe de ses seins et l'opalescence de sa peau.
Il est subjugué par les signes de l'amour rendu visible.

BEAUTÉ

Il est beau, c'est vrai pour tout le monde, d'une beauté raisonnable et accessible. Elle le préfère ainsi que laid, mais ce n'est pas très important, seulement agréable. Elle se souvient de sa beauté, quand d'autres la remarquent. Sinon elle l'ignore. Elle ne voit plus de lui que sa vraie nature, intègre, libre, généreuse et aimante. Et, à le côtoyer, elle se sent meilleure, et belle, à l'intérieur.

BONHEUR

Le matin, il pleuvait, elle ignorait le bonheur. L'après-midi, il faisait gris, elle avait rendez-vous. Le soir, il l'a raccompagnée. Elle se sentait vide d'elle-même, son désir évanoui, légère et douce. La brume transportait des odeurs subtiles.
Elle les déchiffrait toutes. L'herbe semblait plus moelleuse et les bruits plus feutrés. Elle prenait chaque chose avec délicatesse. Ils se sont donné la main et, dans un souffle, ensemble, ils ont vécu l'instant.

BONHEUR

C'est l'été. Assis au pied d'un arbre, ils regardent les vagues lentes et dorées d'un champ de blé. Au-dessus d'eux, le ciel fait une mosaïque bleue dans le feuillage sombre. De temps à autre, un pépiement bref, puis, dans l'air qui bruisse à peine, il entend murmurer. Il tourne la tête et la voit sourire doucement, yeux fermés, heureuse d'avoir prononcé son nom dans le vent.

Combien je m'adore depuis qu'elle m'aime !

J. W. Goethe, *Les Souffrances du jeune Werther*,
traduction P. Leroux, © Éditions d'Aujourd'hui.

Un sentiment inexplicable

**Comment parler
de l'amour ?
Comment expliquer
la puissance, la force
de ce sentiment,
le bouleversement
qu'il provoque ?**

• • •

L'obsession de nos pensées ;
la nécessité constante,
irrépressible, absolue
d'être avec la personne
que l'on aime ; l'envie de tout
lui donner, l'envie de tout
en recevoir ; c'est l'amour.
L'impression que plus rien
ne sera jamais comme avant ;
le sentiment que tout
devient possible, que tout
nous devient possible ;
le désir d'être le plus beau,
le plus séduisant possible ;
le besoin de donner le meilleur
de soi-même ;
c'est aussi l'amour.

C'est quand on ressent tout
cela, à notre manière, que l'on
se sait amoureux. C'est quand
on lit les poètes,

les philosophes, les dramaturges ou les romanciers, selon ses goûts, que l'on retrouve, au détour d'une page, quelques lignes qui sont très exactement ce que l'on a éprouvé à un moment donné. Tellement exactement cela qu'il semble qu'on aurait pu l'écrire. Et pourtant, notre sentiment est tellement unique !

ÊTRE AMOUREUX

Les histoires d'amour ne se ressemblent pas. Elles peuvent commencer de multiples manières. L'amour vient d'un seul coup ou petit à petit. D'abord, on côtoie quelqu'un pendant des mois sans éprouver rien de particulier. Et puis, un jour, on est ● ● ●

simplement attentif à une phrase, un geste, un regard, un sourire. Alors on se rapproche pour retrouver d'autres phrases, d'autres gestes, d'autres regards, d'autres sourires. Et on s'aperçoit longtemps après qu'on ne peut plus se passer de ces phrases, de ces gestes, de ces regards, de ces sourires.

L'amour peut naître aussi d'un seul regard — un coup de foudre. Il n'y a pas une seule façon de devenir amoureux. Il n'y a pas de règles, pas d'itinéraires tout tracés. Mais, dans tous les cas, comprendre qu'on aime, c'est s'apercevoir qu'on ne peut plus

se passer de quelqu'un.
Et être amoureux, c'est en être
bouleversé, remué,
dans l'incertitude,
dans la découverte,
dans la stupéfaction.
Aimer, tout court, pourra venir
plus tard. Dans une sorte
de tranquillité et d'assurance.

UN SENTIMENT EN POINT D'INTERROGATION

Être amoureux, oui, ce serait
se poser encore des questions
brûlantes, beaucoup
de questions.
Cette personne, l'aime-t-on
vraiment ou la désire-t-on
seulement ? Amour et désir
ont quelque chose à voir.
Pourtant, on peut désirer
quelqu'un sans l'aimer.
Pourquoi pas ? D'autant plus ● ● ●

que d'un simple désir naît
parfois une histoire d'amour.
On peut aussi aimer quelqu'un
sans le désirer et c'est beau,
c'est fort, comme n'importe
quel amour. Même si cela
ne semble pas complet, entier
(mais qui peut dire ce que
serait un amour entier ?).
Certes, amour et désir vont
bien l'un avec l'autre, parce
que ce besoin d'être le plus
possible ensemble
est tellement fort ! Comment
pourrait-il connaître une
limite ? Comment pourrait-il
exclure le corps de l'autre ?

C'est pourtant peut-être à cela
qu'on s'aperçoit que l'on aime,
et pas seulement que l'on
désire. Par le fait qu'il n'est

pas essentiel que ce désir
physique soit satisfait et que
notre bonheur ne tienne pas
à cela. Par le fait que notre
amour aille beaucoup plus loin
et puisse être comblé par
beaucoup d'autres choses.
L'amour comble partout, tout
le temps : quand l'autre
nous parle, nous écrit,
nous regarde, nous accompagne
en promenade, nous prête ou
nous emprunte un vêtement...
et aussi quand il nous tient
dans ses bras.

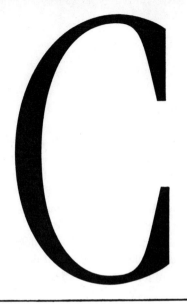

C

CADEAU • CARESSE • CHAGRIN •
CHARME • CONQUÊTE • CONVOITISE •
COUP DE FOUDRE • CRI

CADEAU

Ce n'est rien, juste un porte-clés. Elle l'a vu. Elle a pensé à lui. Elle l'a acheté. Elle va le lui donner. Il faut qu'elle trouve un papier, neutre de couleur et très doux. C'est le fin ruban jaune qui donnera la touche joyeuse au petit cadeau.

Mais n'est-ce pas trop ? Elle hésite. Elle aime la simplicité. Que va-t-il penser ? Ce n'est rien, juste un porte-clés.

CADEAU

Il la connaît à peine, elle lui offre un petit globe terrestre. La signification de ce geste lui saute immédiatement aux yeux alors qu'il soupèse le cadeau au creux de sa paume. C'est effectivement un petit monde qu'elle lui offre. Son petit monde.

CARESSE

Elle aime toucher, cela lui vient de son enfance. Toucher la pâte à choux dans le grand saladier et le tablier de mémé et le ventre chaud du cochon d'Inde si rose, si rond, et le nez du bébé. Elle trouve la même jouissance maintenant à presser une peau qui se montre.

Depuis qu'elle l'aime en entier, le dessus et le dedans, et parce qu'il l'aime aussi, c'est plus fort. Elle caresse et caresse encore, suggère le plaisir, mesure sa résonance, ajuste son geste, s'éloigne, revient, par un détour de la main, du doigt, de la langue sur ses rondeurs, dans ses replis. Elle aime ces plaisirs-là, surtout ceux-là.

CARESSE

Souvent, il a envie de se tenir tout près de celle à qui il parle, de lui prendre la main. Mais il se retient : ce ne serait pas compris. Pourtant, comment parler du ciel si bleu et calme, et comment mieux dire un crépuscule orageux, sinon dans la caresse que fait un souffle sur la joue ?

Je veux dire ta main sous laquelle
je m'éveille au désir, au plaisir.
Ta main si lente à me séduire.
Si sagement, si savoureusement lente.
Je veux dire ces prémices
plus émouvantes que celles du jour
ou de l'avril : quand chancellent
les verticales ; quand toute flamme
se couche, s'allonge, comme celle
bleue de nos veines. Quand j'attends
que tu me touches comme folle
que sonne l'heure.

M. Sorgue, *L'Amant*, © Albin Michel.

CHAGRIN

Elle jette un œil à travers les vitres : Lulu est derrière son comptoir, comme d'habitude. Dans la salle : personne, mais l'odeur du tabac froid. Un petit sourire en coin : Lulu n'en dit jamais plus long.
Elle entre, s'assoit sur le haut tabouret de bois, se tait, se détourne et fixe sans la voir la grande banquette verte, au fond. Elle respire à peine, concentrée sur des visions intérieures qu'elle extirpe de sa mémoire pour faire jaillir le chagrin. Elle remue son désespoir.

CHAGRIN

Elle est entrée dans le bar peu avant minuit. Elle est très correctement vêtue mais quelque chose dans son allure ne va pas. Il ne saurait pas très bien dire quoi. Elle est mélancolique, il y a sans doute une douleur en elle. Son visage semble tourné vers l'intérieur. Elle ne paraît pas désespérée, seulement occupée par sa douleur, très certainement une amertume d'amour. C'est cela, un chagrin d'amour qu'elle ressasse pour le sauver de l'oubli.

CHARME

C'est une fête où l'on se croise et se salue.
« Le bruit empêche toute conversation
sérieuse », dit une voix derrière elle. « Et
c'est tant mieux ! » pense-t-elle avant de se
retourner. Trois hommes rient, parlent fort,
gesticulent. Mais elle ne voit que lui, avide
et joyeux. Un grand type, noir dans un costume noir. Il irradie l'insolence. Il fait des
gestes énormes et ronds, là où personne
n'ose bouger. Il donne des claques dans le
dos de ses comparses, se penche sur eux,
susurre quelques mots, montre du doigt, se
moque, s'esclaffe. Il est le seul vivant de
tous ces culs pincés. Elle se laisse aiman-
ter et s'enivre de lui, toute la soirée.

CHARME

Ses yeux enfoncés semblent disparaître sous un front trop grand. Sa voix ténue se casse à chaque fin de phrase. Rien d'elle n'est gracieux, sauf ses mains peut-être, extraordinairement blanches. Pourtant, il se dégage d'elle un charme ineffable. Elle a une incroyable intelligence des êtres : une intelligence née de sa disgrâce.

JE SUIS COMME JE SUIS

Je suis comme je suis
Je suis faite comme ça
Quand j'ai envie de rire
Oui je ris aux éclats
J'aime celui qui m'aime
Est-ce ma faute à moi
Si ce n'est pas le même
Que j'aime chaque fois
Je suis comme je suis
Je suis faite comme ça
Que voulez-vous de plus
Que voulez-vous de moi

Je suis faite pour plaire
Et n'y puis rien changer
Mes talons sont trop hauts
Ma taille trop cambrée
Mes seins beaucoup trop durs
Et mes yeux trop cernés

Et puis après
Qu'est-ce que ça peut vous faire
Je suis comme je suis
Je plais à qui je plais

Qu'est-ce que ça peut vous faire
Ce qui m'est arrivé
Oui j'ai aimé quelqu'un
Oui quelqu'un m'a aimée
Comme les enfants qui s'aiment
Simplement savent aimer
Aimer aimer...
Pourquoi me questionner
Je suis là pour vous plaire
Et n'y puis rien changer.

J. Prévert, *Paroles*, © Gallimard.

CONQUÊTE

Elle ignore que ce sont toujours les femmes qui choisissent. Elle l'ignore parce qu'elle préfère croire à l'amour fort qui soumet. Mais il se gardera bien de lui dire tout cela. Et pour être sûr de la faire sienne, il se contente de lui faire croire qu'il veut la conquérir. Et laisse venir.

CONQUÊTE

Il l'a vue. Elle soutient son regard. Il s'interroge. Elle cille des yeux lentement. Il la toise. Elle se cambre. Il se moque. Elle se détourne dans un demi-sourire mais revient le narguer par en dessous. Il l'apostrophe. Elle se redresse, visage offert, les yeux mi-clos. Il l'injurie, elle lâche un rire de gorge, puissant et chaud. Il veut l'attraper. Elle fait mine de s'enfuir mais se laisse enlacer, heureuse derrière son masque effarouché.

CONVOITISE

Il est perché en haut de la meule. Il étale le foin qu'elle ou d'autres lui tendent. Plus les bottes s'amoncellent, plus il est loin, inaccessible. Au début, elle aurait pu le toucher. Elle sentait son odeur d'homme, de vin et de sueur mêlés. À chaque brassée, elle le respirait, narines dilatées, se remplissait de lui, guettait le moment où il attraperait la botte pour la faire rebondir dans ses bras puissants. À chaque brassée, la meule montait. Et plus il s'éloignait, plus elle le désirait. Elle attend le soir, quand il descendra.

CONVOITISE

Elle porte une robe très courte et moulante dont le matériau, une sorte de plastique noir et brillant, craque. Il remarque dans son dos une fermeture Éclair qui parcourt la robe de bas en haut, et imagine qu'il la dépiaute comme un de ces bonbons acidulés dont la vue fait instantanément saliver.

COUP DE FOUDRE

Elle l'observe. Il ne l'a pas vue. Maintenant il la regarde. En quelques secondes son visage a bougé. Il était lisse et doux, il est tendu, sérieux. Un éclair dans ses yeux, et son regard a pris les couleurs d'un naufrage. Irrésistiblement, elle plonge et s'oublie, légère soudain, comme une âme en fuite.

COUP DE FOUDRE

Assis en face d'elle sur un muret, il a soudainement la sensation bouleversante qu'un voile s'est déchiré, que toute opacité s'est dissipée. Une lumière imprévisible et vraie supprime distance et mensonge. Détaché de lui-même, il voit maintenant, il la reconnaît.

En ce soir du Ritz, soir de destin,
elle m'est apparue, noble parmi
les ignobles apparue, redoutable
de beauté, elle et moi et nul autre
en la cohue des réussisseurs et
des avides d'importances, mes pareils
d'autrefois, nous deux seuls exilés,
elle seule comme moi, et comme moi
triste et méprisante et ne parlant
à personne, seule amie d'elle-même,
et au premier battement
de ses paupières je l'ai connue.

A. Cohen, *Belle du Seigneur*, © Gallimard.

CRI

Elle gémit et cela ne ressemble à rien de ce qu'il connaît. Cela ne vient pas de la gorge, c'est plus profond, cela vient de l'intérieur, de très loin, un sanglot du tout début des choses, le long cri de la reconnaissance d'un amour dans la nuit.

CRI

Ils s'aimaient plutôt dans le calme et la douceur. Il y avait de l'ardeur parfois, des soupirs et des voix rauques. Mais pas de cris. Ils préservaient leur harmonie avec l'attention des chasseurs de papillons, minutieusement, sans faire de bruit. Pourtant, une nuit, elle a crié dans un cauchemar. Une plainte lugubre et vibrante, qui s'est prolongée en écho au-delà de la fenêtre ouverte, comme un hurlement de louve traquée. Le lendemain, elle l'a quitté.

Aimer dans le tourment

Je l'aime, m'aime-t-il ?
Cette personne,
dont j'ai le sentiment
de ne plus pouvoir
me passer, m'aime-t-elle
aussi ? Comment le savoir ?

● ● ●

L a réponse est très simple !
Il suffit de savoir si elle
est bouleversée, si on obsède
ses pensées, si elle éprouve
la nécessité constante,
irrépressible, absolue d'être
avec nous. En somme, si elle
aussi est amoureuse (voir
chapitre précédent !) Comment
faire ? Vivre dans le tourment,
dans un tourment plein de
moments délicieux. Et être aux
aguets : voir si cette personne
nous attend au coin de la rue,
si elle cherche toujours à
s'asseoir à côté de nous, si ses
yeux s'emplissent de bonheur
quand ils nous regardent.

IL NE M'AIME PAS. QUE FAIRE ?

Et si la personne ne nous aime
décidément pas ?

On peut se jeter une bonne
fois dans le désespoir,
la course à pied, les boîtes
de nuit... et le lendemain,
sans doute, on aura tout
oublié. Ou pas.
On peut continuer d'essayer
de lui plaire, de l'étonner,
de se rendre indispensable,
de persévérer dans sa
conquête. L'autre craquera.
Ou pas !
On peut transformer cet
amour en amitié. Mais y
arrivera-t-on ?
On peut faire de cet amour
un doux et magnifique
souvenir.
Ou aimer cette personne pour
toujours, parce qu'on ne peut
pas faire autrement. Mais sans
doute pas au prix d'oublier de ● ● ●

vivre et d'en aimer d'autres tout
aussi follement. Là encore,
chacun à sa manière.
Chacun comme il veut.
Chacun comme il peut.

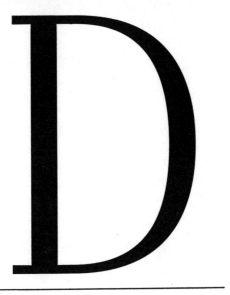

DÉCEPTION • DÉCLARATION •
DÉSIR • DÉTAIL • DISPUTE • DON •
DOUCEUR • DOUTE

DÉCEPTION

Lorsqu'il l'embrasse pour la première fois, maladroit, le choc de l'émail contre l'émail fait un petit bruit d'assiette cassée et, dans le temps incroyablement long que dure le baiser, il n'arrive pas à se débarrasser d'une image de limace.

Il est déçu comme s'il avait goûté pour la première fois un fruit appétissant, une mangue dont la saveur l'aurait écœuré.

DÉCEPTION

Il y a un an, cette nuit. Il va rentrer. Il l'emmènera dîner. Il aura mille attentions pour elle. Elle aura mille attentions pour lui. Il apportera quelque chose, des fleurs, un cadeau, une surprise peut-être, un rêve... Elle lui donnera l'enveloppe qu'elle a préparée, sans rien dire, tout simplement.

Il fait tourner ses clés dans la serrure. Elle se passe en revue, elle est superbe. Il entre. Il est radieux, mais accompagné.

La saveur du premier baiser m'avait déçu
comme un fruit que l'on goûte
pour la première fois.
Ce n'est pas dans la nouveauté,
c'est dans l'habitude que nous trouvons
les plus grands plaisirs.

R. Radiguet, *Le Diable au corps*

DÉCLARATION

Elle se souvient de tout, exactement. Ils marchaient sous les arcades du Louvre. Il lui prend le bras. Non, pas le bras, le coude. Il place sa main sous son coude, comme pour le porter. Il a déjà considérablement allongé le pas. Elle se souvient que ça l'a étonnée, toute cette précipitation, alors qu'ils n'étaient pas pressés. Et puis il se met à bafouiller des banalités d'amour. Le grand jeu, avec des premières fois et des toujours. Elle déteste ces mots usés qui abîment l'amour. Il ne faut pas les prononcer, à cause de la mémoire qui garde tout. Alors elle jette ses bras autour de son cou, comme on lance une bouée de sauvetage.

DÉCLARATION

Il lui dit qu'il l'attend depuis toujours. Qu'il l'aime depuis la première fois qu'il l'a vue. Mais il est très maladroit et sa voix tremble. Son amour sincère se déclare dans l'innocence et la fragilité.

DÉSIR

Il jette un valet de trèfle sur la table. Un simple geste sûr, précis, rapide. Ses longs doigts qui se détendent, la carte qui gicle de sa main, voltige et s'étale sur les autres. Elle rougit et s'étonne : une onde chaude s'est emparée de son ventre, hérisse ses seins. Elle n'aurait pas envie qu'il la touche. Le geste seul compte, comme la séquence isolée d'un rêve troublant.

Elle s'émerveille de ce désir qui peut aller et venir sans la permission de l'amour.

La partie de cartes est terminée. Elle s'en va, éblouie par cette immense liberté en elle, si secrète et sublime à la fois.

DÉSIR

Leur amour existe uniquement dans ces moments où il se sent irrésistiblement attiré vers elle. Car dix fois ils se sont séparés. Mais dix fois ils se sont retrouvés. Comme s'ils ne pouvaient lutter contre leur désir sauvage.
Il se demande si ce n'est pas seulement cela leur amour, un instinct simple qu'ils habillent d'idées, de mots et de sentiments.

*Ils n'osent encore échanger leurs pensées ,
mais quand leurs yeux qui se fuient se
rencontrent dans un éclair, c'est un périlleux
regard qui attise le feu qui déjà les consume.
Chacun se débat en lui-même ; la Raison livre
avec le Désir une très cruelle bataille...*

A. Mary, *La Merveilleuse Histoire de Tristan et Iseut*,
© Gallimard.

DÉTAIL

Il a deux plis à chaque coin de la bouche,
particulièrement marqués du côté droit.
Deux petites parenthèses qui s'ouvrent et
se referment au gré de son humeur, les
signatures de son sourire. Quand ils se
sont rencontrés, ils se rendaient tous deux
à une grande fête, loin. Il conduisait. Toute
la nuit, elle a fixé son profil droit, fascinée
par ces deux lignes sombres, mal éclairées
dans le contre-jour des phares.

DÉTAIL

Est-elle belle ? Sans doute.

Elle prononce certains mots d'une manière très personnelle, ce qui lui donne un charme ravageur. Ainsi, chez elle, « ouik end » devient « uik end ». C'est un détail, mais il adore précisément ce détail qui, à ses yeux, la rend irrésistible.

Et comme il lui semble qu'elle est tout entière dans ce petit quelque chose, élégant et rare, il rêve à l'idée que l'amour naisse et grandisse d'un tout petit rien.

DISPUTE

Ils se disputent pour la première fois. À un moment de la bataille, un jet de mots trop durs laisse derrière lui un vide, glacial. Il se tait. Le silence fond sur elle comme une nuit. Ils s'affrontaient. Il se tait.

C'est comme s'il la quittait. Elle n'a plus de prises pour le retenir, il s'est enfermé dans son mutisme. Elle s'affole. Elle ne veut pas cette rupture, c'est trop insupportable.

Il faut tout arrêter, tout oublier, revenir en arrière, lui dire je t'aime, l'aimer, vite vite.

DISPUTE

Elle l'accable au téléphone. Pour un détail, une chose idiote qui ne compte pas. Il le lui dit mais elle est dans une fureur qui n'admet que sa propre fureur. Les mots qu'elle a sont aveugles et courbés dans la peur.

Il raccroche. Il ne lui reproche pas sa violence. Il comprend qu'elle a douté d'un amour qui serait comme du diamant. Il ne lui reproche rien, il est exactement triste de sa foi perdue.

DON

Il a une femme. Elle est triste, mais c'est sa femme. Pourtant, une chose manque, et l'absence de cette chose fait un trou noir en lui-même qu'il est incapable de combler. Il n'a aucune expérience du rien, seulement l'habitude du plein. Aussi vient un jour où le trou noir aspire tout alentour. Il perd tout.

Un tout petit rien lui est alors donné : lorsqu'il la regarde, elle sourit.

DON

Il n'est pas là. Il n'est jamais suffisamment là pour recevoir cet amour qui l'occupe entièrement. Elle est comme une feuille dans un torrent fou, bousculée par sa passion. Elle rêve de ses mains agiles qui s'useront à ce désir infernal. Elle le veut pour s'offrir à tout moment, toujours.

DOUCEUR

Il l'a aimée avec espoir. De cet espoir qui freine les impatiences et retient la passion. Elle a été touchée par ses regards plus tendres que les autres, par ses mots plus enveloppés, par ses gestes plus attentionnés. Elle a aimé ce désir immobilisé en lui, le temps de son éveil à elle.

Elle l'a désiré dans la douceur d'une fin d'été.

DOUCEUR

Elle entre dans le compartiment. Il y a chez elle quelque chose de très féminin, son sourire peut-être, un sourire qui donne de la lumière. Elle est belle. Elle lui tend son Walkman, il écoute. C'est une chanson qu'il aime. Serait-ce parce qu'ils se sont connus dans un ailleurs, il y a bien longtemps, et qu'ils le devineraient ?

Lorsque le train s'arrête en gare, il aimerait continuer le chemin. Mais sur le quai il ne peut rien dire. Alors elle s'approche et lui caresse la joue rapidement, du dos des doigts, et part sur ce geste fugitif et doux, comme celui que laisse l'oiseau dans l'air.

DOUTE

Il est parfait. Ce constat la perturbe. Elle a
connu des flemmards, des ambitieux, des
mous, des trop doux, des gros durs et des
imbéciles. Mais celui-là est parfait. Il est là
et il dit qu'il l'aime.

Alors elle pense que l'amour ne peut être
parfait, qu'il faudrait un peu de déborde-
ment à ce bonheur impeccable.

Elle le blesse avec son doute. Elle se rassure avec sa souffrance et l'aime finalement.

DOUTE

Il marche en pleine nuit. La lampe qu'il tient à bout de bras éclaire suffisamment son chemin, à quelques mètres devant lui. Il marche dans une relative obscurité. Le doute pour son amour serait ce souffle de vent qui ferait vaciller la faible flamme de sa lanterne. Il n'y verrait plus pendant un instant et devrait puiser de toutes ses forces dans ce qu'il connaît de son chemin pour ne pas trébucher sur les mauvaises pierres.

Puis la tempête passerait. La petite flamme se relèverait droite. Il poursuivrait sa marche, fortifié de ne pas être tombé.

Jusqu'à cette heure, j'avais aimé Émilie sans
effort, sans raisonnement ;
mon amour avait éclos comme par
enchantement, en une impulsion irréfléchie,
impétueuse, inspirée,
qui m'avait semblé jaillir de moi-même
et de moi-même seulement.
Pour la première fois je m'apercevais
que cette impulsion dépendait, s'alimentait
d'un élan d'Émilie, semblable au mien, et, la
voyant si changée, la crainte me prenait
d'être désormais incapable de l'aimer
avec la spontanéité, le naturel de jadis.

A. Moravia, *Le Mépris*,
traduction C. Poncet, © Flammarion.

Le « toujours »

Cet amour que j'éprouve,
si fort, si fou,
si incroyable,
durera-t-il toujours ?

● ● ●

Une question que tout le
monde se pose un jour.
Mais que répondre ? Encore
une question impossible.
Peut-être. Et peut-être pas.
On ne saura qu'à la fin.
Et s'il dure réellement
toujours, cet amour,
on ne le saura donc jamais.
Le vrai paradoxe réside
dans le fait de se poser
la question.

UNE ÉVIDENTE RÉPONSE

Si l'on aime, c'est évidemment
pour toujours ! Dans le
moment où l'on aime,
comment imaginer l'avenir
autrement qu'avec la personne
que l'on aime ?
Imaginer l'avenir
avec quelqu'un d'autre,

et la personne que l'on aime
avec quelqu'un d'autre,
est peut-être raisonnablement
vraisemblable mais
affectivement absurde.
Tant que l'on aime, c'est pour
toujours. On ne peut pas faire
autrement qu'aimer pour
toujours. Jusqu'à ce qu'on
n'aime plus. Mais il est tout
à fait possible que ça n'arrive
jamais.
Résumons-nous : il est
possible d'aimer pour toujours
et impossible de le ressentir
autrement.

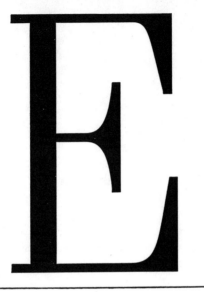

ESPOIR • ÉTAT AMOUREUX

ESPOIR

Il passe tout près d'elle, la frôle et s'en excuse. Mais dans ses yeux rieurs elle croit voir le trouble. Elle voudrait tant qu'il l'aime. Elle le retient par des phrases polies. Elle guette le signe qui relancera l'espoir.

Il la quitte. Elle le suit du regard, avide de déceler, dans sa démarche traînante, un soupçon de complicité.

ESPOIR

Un jour, rien ne le séparera d'elle. Il n'y aura plus rien à attendre. Ses bras seront guérison. Il abandonnera ce qui n'est pas d'elle, n'apprendra que d'elle et se reposera à son ombre.

Un jour, il n'y aura qu'un seul jour, une seule heure, et lui et elle.

ÉTAT AMOUREUX

Depuis quelque temps, il y a cette impatience en elle qui bouscule tout : l'ordre de l'ordinaire et la lenteur des autres. Et puis un ravissement dans son esprit qui transforme la vie. Il y a cette manière de voir ou de sentir, si juste, si vraie, et l'ivresse en même temps qui se moque des obligations. Il y a cette quête de vérité, tout connaître de lui, et la peur de le perdre. Mais il y a surtout le bonheur d'être là, quand il est là.

ÉTAT AMOUREUX

Amoureux, il s'aperçoit que les plantes, les arbres, les routes, les villes et les hommes sont parfaitement à leur place et qu'il est ni trop loin, ni trop près de tout cela, à la bonne distance. Ses sentiments sont, pour la première fois, à l'endroit.

Je la verrai !
voilà mon premier mot
lorsque je m'éveille,
et qu'avec sérénité je regarde
le soleil levant ; je la verrai !
et alors je n'ai plus,
pour toute la journée,
aucun autre désir.

J. W. Goethe, *Les Souffrances du jeune Werther*, traduction P. Leroux, © Éditions d'Aujourd'hui.

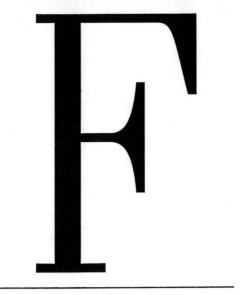

FANTASME • FIDÉLITÉ • FIN

FANTASME

Souvent le matin, quand elle passe dans la rue, un homme se penche à sa fenêtre, les épaules moulées dans un tee-shirt blanc. Elle est sûre qu'il en joue. Elle ne veut pas le connaître plus avant. Elle préfère le faire vivre dans son imagination, comme un héros à la merci de ses extravagances.

FANTASME

Il poursuit une inconnue qui l'espionnait cachée derrière une dune. Il l'attrape par la taille et ils roulent sur le sable mouillé, à la lisière des vagues. Il prend des algues dont il lui recouvre les seins. Elle ne dit rien, elle ne bouge pas. On entend seulement la mer gronder.

Elle le laisse faire silencieusement, les yeux mi-clos.

Maria Cross songeait aussi, sans oser
lui en rien dire, à l'attirer chez elle.
Mais cet enfant farouche, son oiseau
sauvage, elle se défendait de le salir,
fût-ce en pensée – se persuadait
seulement que dans le salon étouffé
d'étoffes, au fond du jardin assoupi,
leur amour s'épandrait enfin en
paroles, que cet orage se résoudrait
en pluie. Elle n'imaginait rien que
peut-être le poids de cette tête contre
elle. Il serait un faon, devenu familier

à force de soins, et dont elle sentirait
dans ses paumes le museau tiède..
Elle entrevoyait une longue route, et
ne voulait connaître que les caresses
les plus proches, les plus chastes, et
se défendait de songer aux étapes
devenues brûlantes – à la forêt enfin
dont les êtres qui s'aiment écartent
les branches pour s'y perdre... Non,
non, ils n'iraient pas si loin ; elle ne
détruirait pas dans cet enfant ce qui
la bouleversait d'adoration et de peur.

F. Mauriac, *Le Désert de l'amour,* © Gallimard.

FIDÉLITÉ

Quand dans la rue il la prend par l'épaule,
c'est le même corps fin et souple. Il lui
murmure dans les cheveux qu'elle est toujours très belle. Elle sourit en regardant le
sol. Cela fait longtemps qu'il ne l'a pas vue.
Cinq ou six ans peut-être.

L'ancien désir est encore là. Mais il n'y
aura plus les rideaux du salon qui se soulè-
vent dans l'air. Leurs lèvres ne seront plus
jamais jointes, ni leurs corps. Trop de
temps entre eux, une épaisseur de temps
telle qu'ils ne se rejoindront plus. Mais il
n'est pas triste. En restant fidèle à leur
amour passé, rien d'elle ne lui manquera.

FIDÉLITÉ

Elle s'est assise à l'écart. Il chahute avec les autres. Elle pourrait s'en aller, il ne le saurait pas, pas tout de suite. Il n'a aucun doute. Il ne la surveille pas du coin de l'œil comme le font les maris trompés. C'est agaçant, cette confiance aveugle, comme une indifférence à son existence.

Elle voudrait un peu de jalousie pour dessiner les frontières de sa liberté.

FIN

Il attrape son blouson, prend son carton de livres – c'est tout ce qu'il a jamais possédé – et quitte l'appartement où il a vécu. Son poids fait craquer les marches de bois de l'escalier. Il n'a pas dormi depuis des jours et des jours, une envie de vomir l'arrête. Il pose le lourd carton en équilibre sur son genou. Sa jambe tremble. Il lève la tête vers la fenêtre de la cuisine où elle se poste d'habitude pour lui faire un signe. Mais le carton bascule et s'éventre ; les livres tournoient dans la cour comme des pigeons ivres. Il n'y a personne à la fenêtre. Il s'assoit et enfouit la tête entre ses bras. On entend seulement un roulement sourd de voitures et un picotis de pattes qui vont et viennent sur le toit en zinc. Il se lève en se disant que, de toute façon, on finit toujours par quitter les gens que l'on aime, bat un bref instant des mains dans le vide avant de tomber sur le sol jonché de livres.

FIN

Un jour elle l'a moins aimé. Elle ne sait plus quelle forme avait ce début de non-amour, la non-admiration peut-être. Il ne l'étonnait plus : ses belles phrases, son allant, ses succès. Elle voyait l'égoïsme affleurer.

Elle a préféré fuir avant que s'insinue, dans son esprit désabusé, la mesquinerie et les mauvais procès.

Amour aveugle
ou amour lucide ?

Ne se trompe-t-on pas
en aimant à ce point,
dans le détail,
tout ce qu'est l'autre ?
Ne s'aveugle-t-on pas ?
Ne refuse-t-on pas de voir
la réalité de l'autre ?

• • •

Non, on ne se trompe pas quand on aime. On ne s'aveugle pas. On est même certainement au comble de la lucidité. Mais c'est la lucidité de l'amour. Quand on aime, on est tellement attentif, on passe tellement de temps à penser à l'autre, à scruter chacun de ses faits et gestes, chacune de ses paroles, que l'on finit par le connaître mieux que quiconque. On peut croire quelquefois qu'on idéalise la personne que l'on aime. Surtout quand on voit les réactions qu'elle suscite dans l'entourage.

AIMER DÉFAUTS ET QUALITÉS

En réalité, c'est parce qu'on est la seule personne à voir

toutes les beautés et toutes
les qualités de l'autre.
Parce que toute personne
a des beautés et des qualités.
Parce que, à ce moment-là,
on a besoin de ces beautés
et de ces qualités-là. Et il n'y a
aucune raison de se priver
du plaisir de trouver quelqu'un
merveilleux et aucune raison
de priver quelqu'un du plaisir
de savoir qu'il est merveilleux.
Quant aux défauts, on ne les
voit pas moins que les autres.
Bien souvent on les voit même
plus, parce que notre attention
est telle que l'autre ne saurait
nous les cacher, même s'il
cherchait à le faire. Mais on
les voit en essayant de les
comprendre parce qu'on est
dans une approche globale ● ● ●

et positive de l'autre. On finit
par comprendre chacune
de ses attitudes qui, à d'autres
observateurs plus distraits,
peuvent paraître absurdes
ou insupportables.

La richesse d'un échange

Et cela est d'autant plus vrai
si l'autre s'engage dans
ce processus. Il y a alors
une telle richesse dans
l'échange, tant de choses
qui sont dites, exprimées,
que rapidement on en sait
beaucoup plus que les autres.
Oui, quand on aime, on n'est
pas aveuglé, on est plus
attentif et plus informé, donc
plus compréhensif et plus
indulgent. Et, pourquoi pas,
plus exigeant.

GRAND AMOUR

GRAND AMOUR

Ce serait peut-être cela : elle poserait un verre mouillé sur l'un de ses livres préférés et il n'accorderait aucune importance à ce détail, ni à aucun autre. Il serait délivré de la pesanteur des choses, du poids des heures qui ramènent à la gravité du corps. Un grand amour serait ce rire qui fait traverser légèrement les jours.

GRAND AMOUR

Elle a une histoire qu'elle se fabrique parfois, vieille comme sa première histoire d'amour et longue de toutes les autres mises bout à bout. Une histoire qu'elle enjolive un peu plus chaque fois, avec des promesses et des serments, une histoire de grand amour qu'elle se raconte le soir, comme on récite ses prières, pour y croire.

JE T'AIME

Je t'aime pour toutes les femmes que je n'ai pas connues
Je t'aime pour tous les temps où je n'ai pas vécu
Pour l'odeur du grand large et l'odeur du pain chaud
Pour la neige qui fond les premières fleurs
Pour les animaux purs que l'homme n'effraie pas
Je t'aime pour aimer
Je t'aime pour toutes les femmes que je n'aime pas

Qui me reflète sinon toi-même je me vois si peu
Sans toi je ne vois rien qu'une étendue déserte
Entre autrefois et aujourd'hui
Il y a eu toutes ces morts que j'ai franchies sur de la paille
Je n'ai pas pu percer le mur de mon miroir
Il m'a fallu apprendre mot par mot la vie
Comme on oublie

Je t'aime pour ta sagesse qui n'est pas la mienne
Pour la santé
Je t'aime contre tout ce qui n'est qu'illusion
Pour ce cœur immortel que je ne détiens pas
Tu crois être le doute et tu n'es que raison
Tu es le grand soleil qui me monte à la tête
Quand je suis sûr de moi.

P. Éluard, *Le Phénix*, © Seghers.

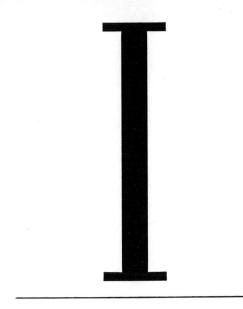

IDÉAL • IMPOSSIBLE AMOUR •
INDIFFÉRENCE • INTIMITÉ

IDÉAL

La seule union de deux corps ne serait-elle pas vite interrompue par la fatigue et l'usure du temps ? Il souhaite le consentement confiant d'un autre esprit, semblable au sien et différent, l'autre esprit qui s'accorderait et le rendrait libre et heureux.

IDÉAL

Il y aurait cette harmonie constante qui rend la vie si douce. Il y aurait cette jubilation à faire les choses ensemble, toutes les choses. Il y aurait la braise du désir et la flambée des corps. Il y aurait mille pensées partagées. Il y aurait la liberté d'être sans l'autre et avec lui. Il y aurait « toujours », sans obligation.

UTRAQUE

L'hiver viendra je te rencontrerai
je connaîtrai la solitude
de ta joue couleur de désert
ta joue qui pense à l'autre et ne peut la saisir
L'été viendra je te rencontrerai
viendra l'hiver et le printemps aussi
Les saisons reviendront je te rencontrerai
Je connaîtrai ta force ta fatigue
le nœud de ton esprit et l'esprit de ton corps
Je te connaîtrai brune et te connaîtrai blanche
avec ta peau d'été avec ta peau d'hiver
et ta peau du matin contre ta peau du soir
Je connaîtrai notre lit dans les branches
comme un ciel de cirque en vacance
et les branches de notre lit
pareil au cirque du ciel.

P. Gadenne, *Poèmes*, © Actes Sud.

IMPOSSIBLE AMOUR

Il décroche le téléphone pour lui dire qu'il ne veut rien sacrifier. Il préfère manquer d'elle que de vivre les brutalités obscures d'une vie commune. Il préfère à cela un amour irréalisé d'elle, mais pur et entier.

IMPOSSIBLE AMOUR

Il l'aime entre deux portes et dans l'urgence. Ils vivent un amour clandestin, hors la loi. Ils se frôlent et s'observent dans le silence de l'interdit. Elle guette ses coups d'œil ou feint de l'ignorer. Elle craint ses embuscades mais recherche sa présence. Serait-il aussi beau s'il était accessible ? Rêverait-elle encore s'il comblait ses désirs ? Elle l'aime de ne pouvoir l'aimer.

INDIFFÉRENCE

Il l'ignore. Elle fait l'assaut de son indifférence, elle se montre, belle et brillante. Il est occupé ? Elle joue l'ingénue en détresse. Elle dose ses attaques. Elle n'a aucun doute sur sa victoire finale. Qu'il la remarque seulement et il sera séduit. Elle prendra tout son temps.

INDIFFÉRENCE

Un jour, c'est l'épuisement du cœur et l'éloignement glacial à tout. Il cherche la chaleur du soleil et la lumière des blés, dort sous les arbres. Il guérit doucement de l'indifférence qu'elle lui manifeste en regardant aller le monde tel qu'il est et comme il va.

INTIMITÉ

Un jour, elle le surprend devant la glace, grimaçant de profil. Il regarde son nez, le presse, le tord, le lisse entre ses doigts, une fois, deux fois, s'approche du miroir, louche sur les narines. Il l'a vue. La honte livre combat à la tendresse. Il sourit, vaincu. Elle s'approche et l'enlace.

INTIMITÉ

Lorsqu'il entre dans la salle de bains, une bouffée humide et parfumée lui saute au visage. Elle est en peignoir devant le miroir et se maquille. Sur la tablette, toutes sortes de flacons, de petits pinceaux et des couleurs. À la radio, la revue de presse du matin. Il surprend le coup d'œil qu'elle se jette, une fois son maquillage achevé, et le sourire qui dessine ses lèvres. Ému, il découvre le sentiment affectueux et tout à fait privé qu'elle a d'elle-même.

Quand devient-on amoureux ?

Est-il possible de ne jamais tomber amoureux ?
Que cela n'arrive jamais ?
Peut-être. Pourquoi pas,
après tout ?

• • •

On tombe amoureux quand on a un besoin inconscient de changement, de relation exceptionnelle, de rencontre extraordinaire avec un autre être. La vie quotidienne, habituelle, ne suffit plus. Non parce qu'elle est terne ou pas assez riche. Mais tout à coup se manifeste le désir d'autre chose. Comme en plus.
On peut rester des années sans être amoureux et en étant parfaitement heureux. Cela peut durer d'autant plus longtemps qu'il faut rencontrer une personne qui réponde à nos attentes, à nos besoins, à nos désirs.

Tomber amoureux, c'est rencontrer une personne qui

réponde à notre besoin
de bouleversement. On peut
mettre beaucoup de temps
à la rencontrer. C'est la part
du hasard de la vie. En sens
inverse, on aura pu vivre des
années près d'une personne
adéquate alors que l'on n'avait
pas besoin d'être amoureux.
Quoi qu'il en soit, la surprise
arrive. Toujours un peu à
l'improviste.

Un petit vide

Et l'on peut vivre des années
sans être amoureux et
sans en souffrir, avec juste
quelquefois comme
une nostalgie, comme un petit
vide, dont on ne sait d'où il
vient. Et puis, il y a tellement
de manières d'être amoureux,   ● ● ●

tellement de manières
de le ressentir et de l'exprimer !

UN SENTIMENT DE VARIABLE INTENSITÉ

Quelquefois, si l'on se compare
à un personnage de roman ou
à un ami amoureux également,
on pense que son propre
sentiment est bien faible, qu'on
n'est peut-être pas vraiment
amoureux. Mais ce n'est pas
sûr du tout. Simplement,
on est sans doute moins
expansif ou naturellement
moins débordant. Peut-être,
dans quelque temps, cet ami
ne sera plus amoureux
alors qu'on le sera toujours.

En amour, toutes les intensités
de sentiment sont possibles
et elles sont toutes normales,

légitimes. Une amourette, c'est aussi un amour. D'une amourette tout peut arriver.

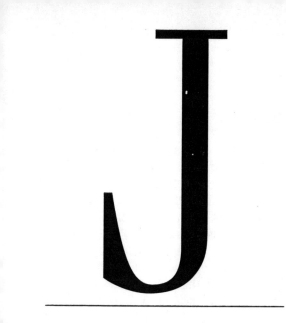

JALOUSIE • JEUX

JALOUSIE

Ils font les courses. Ils se sont perdus un moment. Elle le retrouve les bras encombrés de poireaux et de fruits Il ne la voit pas. Il regarde ailleurs et il rit. Il rit en s'approchant d'une grande femme dans un costume prince de galles. Elle devrait dire tailleur. Mais elle pense masculine, moche, cheval, collègue, chef, chef sûrement, donc costume. L'instinct. Ils se parlent. Il rit encore. Il ne devrait pas. Il fait jeune homme excité. Elle va s'approcher et conclure en douceur. Elle sait très bien faire cela.

JALOUSIE

Enfin, elle rentre. Elle lui saute au cou et lui susurre à l'oreille un « bonjour monsieur » qui le glace instantanément. Bonjour monsieur ? Cette expression n'appartient pas à leur petit vocabulaire amoureux. Elle ne l'a jamais appelé ainsi. Mais, pire encore, elle fait une chose qu'elle n'avait jamais faite avant, elle lui caresse la nuque en l'embrassant sur la joue.

Je suis jaloux de quelque chose d'obscur et d'inconscient avec quoi les explications sont impensables, et qu'on ne peut définir. Je suis jaloux des détails de ta toilette, des gouttes de sueur sur ta peau, des maladies contagieuses dont l'air est infecté, qui peuvent t'atteindre et empoisonner ton sang. Et je suis jaloux de Komarovski qui un jour t'enlèvera à moi, comme de la maladie, comme de la mort qui un jour nous séparera. Je sais, tout cela doit te paraître un amoncellement d'obscurités. Je n'arrive pas à m'exprimer de façon plus ordonnée, plus compréhensible. Je t'aime infiniment, à la folie, à en perdre la tête.

B. Pasternak, *Docteur Jivago*, © Gallimard.

JEUX

Elle ne l'a pas vu depuis plusieurs jours. Ses yeux sont creusés d'ombres noires. Sa bouche s'effondre. Il parle de la quitter, d'une voix sourde, à peine audible. Elle pâlit. Ses lèvres tremblent. Ses yeux se plissent au bord des larmes. Elle va s'enfuir. Il la retient, l'étreint et hurle d'un rire souverain. Elle le déteste, éperdue d'amour.

JEUX

Entre eux rien n'est grave, tout prête à rire. Ils détestent la lourdeur. Ils préfèrent à tout le rire incisif, la dérision. Ils se moquent d'ailleurs l'un de l'autre avec cette cruauté inconsciente de l'adolescence. Mais, un jour, il la blesse. Elle le dévisage d'un air grave. Elle ne joue plus. Quelque chose a changé. Ils sont dans l'étrange gravité de l'amour naissant.

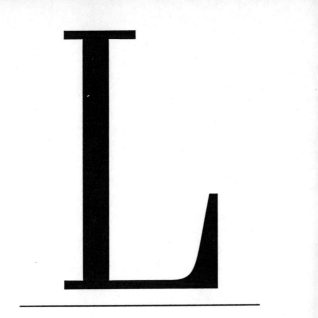

LETTRE

LA LETTRE

Il veut tout dire de cet instant où il est seul et pur dans l'étrange douleur de son absence, et écrire une lettre qui resterait longtemps après la fin de tout. Mais jamais rien ne convient : à côté de lui, des feuilles froissées s'amoncellent. Alors que la lumière de l'aube colore la chambre, il écrit : *Je ne savais pas que l'amour loin de sa source assèche et brûle. Je ne savais pas qu'un tel amour me ferait si mal, je ne savais pas que la souffrance pouvait habiter un si grand bonheur.*

LA LETTRE

L'écriture est fine, noire, hérissée de pics. C'est lui. Elle jauge l'épaisseur de l'enveloppe, glisse son ongle dans l'encoignure, décolle le papier, sort la lettre et la déplie. Elle cherche autour d'elle un endroit sans vie, sans bruit. Elle s'installe confortablement et s'autorise enfin à lire. Elle laisse les premières phrases pour grappiller au hasard de la page les mots qui parlent d'elle. Ils sont si doux, si charmants. Elle aime qu'on l'aime ainsi, belle et parfaite. Après, l'humeur joyeuse, elle file directement vers les mots de la fin. Ils sont souvent plus osés que les autres, émoustillants. Elle s'évade un moment et puis, attentivement, reprend la lettre à son début.

Quand je fus retirée chez moi
et que ma Femme-de-chambre
fut sortie, j'allai pour prendre
ma harpe. Je trouvai dans les
cordes une Lettre, pliée
seulement, et point cachetée,
et qui était de lui. Ah ! si tu
savais ce qu'il mande ! Depuis
que j'ai lu sa Lettre, j'ai tant
de plaisir, que je ne peux plus
songer à autre chose. Je l'ai
relue quatre fois de suite, et
puis je l'ai serrée dans mon
secrétaire. Je la savais par
cœur ; et, quand j'ai été
couchée, je l'ai tant répétée,
que je ne songeais pas à
dormir. Dès que je fermais les

yeux, je le voyais là, qui me disait lui-même tout ce que je venais de lire. Je ne me suis endormie que bien tard ; et aussitôt que je me suis réveillée (il était encore de bien bonne heure), j'ai été reprendre sa Lettre pour la relire à mon aise. Je l'ai emportée dans mon lit, et puis je l'ai baisée, comme si... C'est peut-être mal fait de baiser une lettre comme ça, mais je n'ai pas pu m'en empêcher.

C. de Laclos, *Les Liaisons dangereuses*.

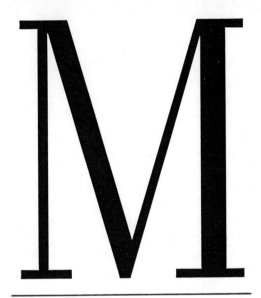

M

MENSONGE • MOTS

MENSONGE

Elle ne l'aime plus sûrement. Elle ne va pas le lui dire, surtout pas. Elle a trop besoin de leur coexistence. C'est une histoire entre eux, sans surprise et sans crise, un amour qui roule, tendre et complice, presque fraternel. Elle sait depuis peu ce que peut être l'amour. Elle le vit par ailleurs, secrètement, dans la douleur, presque en dehors d'elle-même. Elle serait folle dans ce nouvel amour incontrôlable s'il n'y avait, pour la calmer, cet autre amour feutré.

MENSONGE

Elle lui demande — jusqu'à présent il a réussi à éviter la question — elle lui demande s'il l'aime. Mais il ne peut pas dire oui, ce serait aller au-delà de ce qu'il éprouve pour elle, et ce serait mentir. Il ne peut pas non plus répondre non. Elle le quitterait et il souffrirait de ne plus être aimé.

MOTS

Elle lui parle de ses parents et de ses amis,
de ce qui l'occupe. Ses mots sont denses et
colorés comme de belles pierres : il a
l'impression d'écouter pour la première
fois. Il est dans un monde d'enfant où tout
est nouveau. Et, lorsqu'il lui répond, il
retrouve une parole perdue.

MOTS

Ils vivent un amour muet. Au début, elle essayait de combler le vide avec ses petites histoires. Et puis elle s'est tue. Elle n'a plus eu peur de son silence. Elle a appris le non-dit qui demande beaucoup de vigilance. Le matin, parfois, elle prononce tout bas le mot de la nuit.

Sans doute, de même que j'avais dit
autrefois à Albertine « je ne vous aime
pas », pour qu'elle m'aimât, « j'oublie
quand je ne vois pas les gens » pour
qu'elle me vît très souvent, « j'ai décidé
de vous quitter » pour prévenir toute idée
de séparation, maintenant c'était parce
que je voulais absolument qu'elle revînt
dans les huit jours que je lui disais :
« adieu pour toujours » ; c'est parce que
je voulais la revoir que je lui disais :
« Je trouverais dangereux de vous voir » ;
c'est parce que vivre séparé d'elle
me semblait pire que la mort que je lui
écrivais : « Vous avez eu raison,
nous serions malheureux ensemble. »

M. Proust, *Albertine disparue*

Jalousie ou amours multiples ?

A-t-on le droit d'être jaloux ? N'a-t-on pas le droit ? Qu'est-ce qui rend jaloux ? Peut-on aimer plusieurs personnes à la fois ? Comment l'admettre ?

● ● ●

Notre besoin de l'autre est
si grand qu'il est
impossible d'envisager de le
partager. Comment admettre,
quand on est soi-même si
complètement absorbé par
l'autre, qu'il puisse en être
autrement pour lui ? Et l'on a
tellement besoin d'être rassuré
constamment sur l'intérêt
que l'autre nous porte !
Comment faire pour que cela
ne tourne pas à la
possessivité, à l'obsession ?
Admettre que les êtres sont
différents et ne sont pas
forcément, au même moment,
exactement dans le même état ;
que les intensités,
que les besoins peuvent varier.
Admettre qu'il peut y avoir
des changements. Et que cela

ne remet pas forcément
en cause les relations
antérieures, que cela n'enlève
rien à ces relations.
Être vigilant à l'extrême
sur soi-même et sur l'autre.
Et sur la relation qui nous lie.
Puisque c'est là qu'est
l'essentiel. La relation qui
nous lie : quelle est-elle ?
Qu'en attend-on vraiment ?
En vaut-elle la peine ?

TROMPERIE OU SAGE VÉRITÉ ?

Comment admettre que l'on
ne comble pas, à soi seul,
l'autre ? Comment admettre
que l'autre, à lui seul, ne nous
comble pas ? Comment
admettre que cela ne puisse
être que partiel ?
Que quelqu'un d'autre puisse ● ● ●

combler d'une autre manière
l'autre ou soi-même ? Sans
que cela n'enlève rien
à la relation ? Et pourtant
c'est une réalité. Mais elle est
rarement admise parce que
toujours vécue comme
une tromperie, une trahison.
Et tromperie, trahison,
jalousie devraient être
étrangères à l'amour.
L'amour ne se conjugue
qu'avec vérité, confiance,
tolérance, attention et
vigilance.

OBSTACLE

OBSTACLE

Rien à faire, ils ne chemineront jamais ensemble. Trop de choses les séparent. Et puis elle n'est pas libre. Lui non plus d'ailleurs. Pourtant, plus il prend conscience des barrières dressées entre eux, plus il est amoureux.

OBSTACLE

Il devrait être là. Il ne viendra pas : occupé
ailleurs, important, désolé. Elle pense :
l'amour c'est maintenant. Il voudrait
l'embrasser. Pas envie, fatiguée, ailleurs.
Elle pense : l'amour est harmonie. Elle
rêve d'un grand moment, romantique, exo-
tique, loin surtout. Il parle argent. Elle
pense : l'amour est folie. Il dit : je t'aime.
Elle pense : l'amour est exigeant.

Autant que n'importe quel amoureux il souhaitait de plaire et s'inquiétait amèrement à la pensée que cela pût n'être pas possible. Il ajoutait à son vêtement de quoi l'égayer comme celui d'un jeune homme, il portait des pierres précieuses, usait de parfums ; il passait chaque jour de longues séances à sa toilette et se rendait à table paré, excité, tendu. En face de l'adolescent délicieux dont il s'était épris, son corps vieillissant le dégoûtait ; à voir ses cheveux gris, les traits marqués de son visage, il était pris de honte et de désespérance.

T. Mann, *La Mort à Venise*, traduction G. Bianquis,
© Fayard.

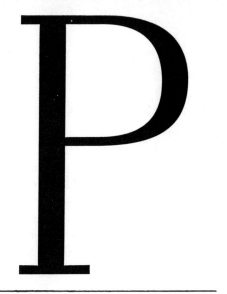

P

PARFUM • PLAISIR • PREMIER PAS •
PREUVE • PROMESSE

PARFUM

Il est seul dans les champs. Là-bas, il s'en souvient, près des noisetiers, il y a comme un cresson où les violettes poussent.

Les fleurs sont là. Tous les ans elles sont là. Enfant, il les cueillait. Dans la maison il prenait un gros verre rond, avec un double trait dessiné au pourtour. Un peu d'eau, puis il le posait dans la lumière qui donnait sur la cendre de l'âtre.

Il se penche, fouille dans l'herbe mouillée, cueille la tige minuscule et respire le parfum délicat et enivrant, comme au creux d'une épaule découverte.

PARFUM

Il cache dans son intimité un bouquet de fragrances, quelque chose de la lande. Il n'est pas lui seulement, il est aussi cette odeur : un peu résine, un peu lierre, et puis douceur aussi, vanillée, comme les herbes dans le sable, tôt le matin. Elle aime le flairer, elle voudrait s'embaumer de lui, à vie.

PLAISIR

Elle sent sous ses doigts naître la volupté.
Il ne la regarde plus, il est à elle et en lui-
même, tout entier concentré sur les sensa-
tions. Elle lit sur son visage tendu les
vibrations de la jouissance, prend sa part
du délice et conduit lentement leurs désirs,
jusqu'au bord du plaisir.

PLAISIR

C'est d'abord le choc d'une vague qui se brise, puis cette vague se retire aux confins. Galet charrié par le flot, il est au-delà de la sensation et pourtant sensation pure, dans l'oubli de son existence et cependant conscience parfaite. Le plaisir lui fait découvrir le sentiment de sa propre étendue.

Qu'avais-je à faire d'un héros ?
Mieux, même, la vertu parfaite
m'aurait semblé fade et méprisable
en comparaison de ses vices ;
son manque de sincérité, d'honnêteté,
de délicatesse et de retenue
me semblait le signe d'une vigueur
cachée mais puissante, à laquelle
j'étais heureuse, orgueilleuse,
de plier comme une esclave.
Plus son cœur se montrait bas,
plus son corps rayonnait de beauté.

C. Boito, *Senso*, traduction J. Parsi, © Actes Sud.

PREMIER PAS

Jusqu'à cette minute exactement, tout était simple, facile, un jeu d'enfants. Ils échangeaient des rires légers, rapides. Ils se regardaient sans se voir. Ils se touchaient sans y penser. Un silence comme un gong soudain les surprend. Elle n'ose pas bouger. Elle sent la chaleur de ses doigts, à quelques millimètres. Elle a peur et envie à la fois. Elle pense qu'elle pourrait avoir honte de ce qu'il va lui dire, alors elle glisse doucement sa main contre ses doigts.

PREMIER PAS

Il est assis à côté d'elle et lui parle. Mais il a le sentiment qu'elle ne l'écoute pas. Elle attend, il le devine, autre chose. Plus le temps passe et plus il s'embrouille, perd le fil. Quelque chose de beaucoup plus vrai est à l'œuvre qui l'empêche de réfléchir et le paralyse. À la fin, il se tait. Le silence, lui, dit la vérité. Il y a entre lui et elle, attentive et grave, un espace extraordinairement dense. Puis tout cède : il lui prend la main, ou peut-être est-ce elle qui la lui tend, il ne sait pas. À l'instant où il l'embrasse, il ne voit plus, n'entend plus. Il est tout entier dans ces lèvres qui se joignent, absent à tout ce qui l'entoure et joyeux.

PREUVE

Il est à l'affût du moindre signe. Ce trait noir qui souligne ses yeux noisette, ce parfum, son appel. Au téléphone, il lui a semblé qu'elle était un peu essoufflée. Plus tard, il lui faudra d'autres preuves : il lui demandera de répondre à la question du *m'aimes-tu ?* Elle lui dira *oui, peut-être.* Un peu de leur amour naissant, les prémices, disparaîtront — petite tristesse.

PREUVE

Elle ouvre le tiroir. Elle fouille dans ses foulards, trouve une minuscule boîte en carton blanc. Elle soulève le fin papier de soie rose et regarde la bague. Une fine alliance sous un bouquet d'éclats de pierre. Elle la glisse à son doigt et tourne lentement sa main pour l'orienter vers la lumière. Elle a dans ce moment-là un petit air satisfait : elle tient la preuve de leur amour.

PROMESSE

Elle a connu des amours dont elle n'espérait rien. Elle les vivait au jour le jour et collectait les petites joies avec une négligence d'enfant gâté. Elle vient de découvrir le grand amour. Elle devrait être heureuse mais déjà elle s'inquiète, exige des promesses.

PROMESSE

Quand elle quitte la voiture, elle lui touche la main. C'est très rapide ce contact de sa peau sur sa peau, c'est à peine un geste. Puis, penchée à la portière, elle lui dit au revoir comme si de rien n'était, s'éloigne sans se retourner. Il croit avoir rêvé. Pourtant, il a ce souvenir d'un léger frôlement qui lui a dit *peut-être*.

Une force inconnue faisait se
rencontrer leurs yeux qu'ils levaient
au même moment comme si
une affinité les eût avertis ; car entre
eux flottait déjà cette subtile et vague
tendresse qui naît si vite entre deux
jeunes gens, lorsque le garçon n'est
pas laid et que la fille est jolie.
Ils se sentaient heureux l'un près
de l'autre, peut-être parce qu'ils
pensaient l'un à l'autre.

Guy de Maupassant, *Une vie.*

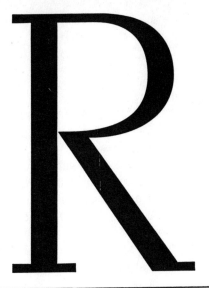

R

REGARD • REGRET • RENDEZ-VOUS •
RÊVERIE AMOUREUSE • RIRE •
RISQUES • RIVAL

REGARD

Ils se parlent. Des choses simples : la lumière sur les roses, le bruit des pas, étouffé, à cause du brouillard peut-être. Elle cache son nez dans le col de son manteau. De temps en temps, ils jettent un œil sur le côté, sans vraiment se voir. Elle lui dit qu'il faut rentrer. Ils se regardent. Elle s'attarde sur ses yeux, sur cet indéfinissable pigment de l'iris, bleu et beige, très pâle. Il s'amuse de son audace à le dévisager ainsi. Il rit mais ses yeux la sondent. Tout en elle s'éveille et s'illumine. Elle se sent elle, parfaite et troublante. Elle l'aime.

REGARD

Une soirée dans un appartement. On discute par petits groupes, un verre à la main. Lui pose des questions, répond aux questions. De temps en temps, il sort sur le balcon fumer une cigarette. Il voit des gens emménager au rez-de-chaussée. Il n'est ni triste, ni gai. Il boit un verre, puis un second. Il n'attend rien, vraiment. Il est indifférent. Plus tard, la musique est forte. Il voit d'abord les yeux bleu clair et francs, bien avant la forme de son visage, la couleur de ses cheveux. Il y lit une approbation et se laisse prendre par ce regard qui le pénètre, le caresse. Tout change et tout s'éclaire : regardé, il retrouve une joyeuse conscience de lui-même.

Soudain, elle lève les paupières. Je sursaute, suis confus, veux détourner les yeux, mais pendant de longues secondes, mon regard reste agrippé au sien. Je n'ai jamais échangé un tel regard avec quiconque, et j'en suis bouleversé. En cet instant, je ne sais plus qui je suis, qui elle est, aucune différence d'âge ne nous sépare plus, et mon regard qui la sonde lui demande avec effroi : qui êtes-vous ? que pensez-vous de moi ? me donnerez-vous un peu d'amitié ? Ma respiration est suspendue, mon cœur cogne, des sentiments qui ne m'avaient jamais visité se bousculent en moi.

C. Juliet, *L'Année de l'éveil,* © P.O.L.

REGRET

Ces derniers temps, il pense souvent à elle, avec émotion. Il se rappelle leur amour volatilisé comme un objet oublié. Mais il ne se souvient pas d'avoir souffert de leur séparation. À cette époque, il lui était indifférent qu'elle reste ou qu'elle parte. Non qu'il ne l'aimât point. Mais il était convaincu que tout choix était un leurre. Toutes choses lui semblaient finalement égales, de l'égalité de l'indéterminé. Et, comme il avait encore du temps, le temps de l'enfance qu'il lui restait, il croyait à l'abondance infinie de ses récoltes. Mais, aujourd'hui, il sent quelque chose poindre, un nuage un peu sombre.

REGRET

Ils avaient encore un pied dans l'enfance. Alors, ils se sont aimés comme des enfants, entre chamailleries et petits câlins. Il est parti en homme, sans se retourner. Elle aurait dû pleurer comme une petite fille. Elle aurait dû le noyer dans ses larmes, l'éliminer. Elle ne l'a pas fait. Pas une larme, mais le visage durci par une dignité de femme abandonnée. Elle s'est menti et l'amour se venge. Le regret ronge sa beauté.

RENDEZ-VOUS

Il lui donnerait rendez-vous à Calais. Sur le bateau, il y aurait un peu de houle, peut-être pas. Il lui offrirait du parfum. Il la regarderait, dirait ces quelques mots, *je t'écouterai*. À Oxford, dans un square, ils s'embrasseraient. Il ne sait plus à qui il a donné ce rendez-vous. Après tout ce temps, cela n'a plus d'importance.

RENDEZ-VOUS

Elle hésite. Quelque chose lui dicte la méfiance. Cette impatience de l'autre, peut-être. Elle n'est pas pressée. Elle n'a pas fini de goûter les délices de leurs jeux amoureux : les œillades, les sourires, les petites phrases qui caressent sans toucher. Elle voudrait prolonger encore ce rêve de petite fille. Mais le piège l'attire comme une forêt magique. Elle sent que le bonheur pourrait bien naître là.

Qui n'a pas éprouvé ce sentiment
étrange de se retrouver en face
d'une inconnue à un rendez-vous
d'une femme passionnément aimée,
dont on était tout entier occupé,
mais qu'on connaissait encore à peine ?
Il avait suffi d'un changement léger
de la coiffure, d'une robe différente,
ou de l'atmosphère d'un lieu public
pour rendre méconnaissable
celle qu'on croyait déjà à jamais
fixée dans la mémoire. Qui n'a pas
éprouvé ce désappointement
ne sait rien du véritable amour.

L. Aragon, *Aurélien*, © Gallimard.

RÊVERIE AMOUREUSE

Le temps d'un regard, il entrevoit une
nuque dégagée sur laquelle flottent
quelques mèches sombres et légères. Un
désir inexplicable s'empare de lui. C'est
elle, la femme rêvée qui l'aime et le comprend, la femme idéale qui lui était desti-
née et qui le laisse dans un manque
douloureux.

RÊVERIE AMOUREUSE

Elle devient molle, rêveuse. De temps en temps ses yeux se figent et son esprit s'échappe : elle fantasme. Un jour c'est le regard brillant d'un inconnu de la rue. Peut-être est-ce un regard sans intention, mais elle l'inscrit dans sa mémoire comme le début d'une grande histoire. Elle ne sait rien de lui, sauf qu'il est exactement beau et grand et mystérieux. Elle ne le reverra jamais, pourtant elle construit le scénario de leurs retrouvailles. Elle aime cultiver l'impossible, jour après jour, transformer l'anodin en promesse de festin.

RIRE

Elle connaît les rires. C'est son hygiène
quotidienne. Elle s'amuse de tout pendant
que d'autres ahanent dans les gymnases.
Lorsqu'elle s'esclaffe, elle ferme un œil, il
ne faut pas la prendre au sérieux. Mais le
rire qu'elle maîtrise le mieux, c'est celui
qui, inattendu, éclate à chaque situation
pesante. Ainsi, lorsqu'il l'embrasse en lui
disant *je t'aime*, à l'intérieur elle rit, et
c'est précisément ce qu'il aime.

RIRE

Ils sont quelques-uns jetés dans une folle partie de pétanque. Elle a préféré prolonger la quiétude de la sieste dans un fauteuil, à l'écart. Elle ne les voit pas : ils sont derrière la haie. Elle ne prête aucune attention particulière à leurs facéties. Elle lit. Un rire échappé de la rumeur lui fait relever la tête. Sourire aux lèvres, elle reprend sa lecture, complice du bonheur de l'autre.

RISQUES

Après avoir vainement cherché une formule, deux mots s'imposent. Il choisit une feuille de papier jaune et écrit : *Je t'aime*. Il ne signe pas. Elle reconnaîtra son écriture. Il espère qu'elle sera sensible à la couleur du papier. La même que celle du ruban qui enveloppait le petit globe qu'elle lui a offert. Mais, devant la boîte aux lettres, il hésite. Ne se serait-il pas complètement trompé ? Et si ce qu'il croit être les signes d'un amour naissant n'étaient que des marques de sympathie ? Il la voit en imagination ouvrir la lettre, lire, puis sourire, mais d'un sourire ambigu. Cette image le poignarde. Mais c'est plus fort que lui. Les deux mots qu'il a écrits ne lui appartiennent plus : la lettre disparaît dans la boîte.

RISQUES

Ils ont parlé du virus et de la mort. Ils ont lutté entre l'obligation de se protéger et l'envie de s'oublier. Maintenant, ils vivent ensemble depuis longtemps, le risque a disparu. Ils pourraient s'aimer sans crainte. Pourtant, ils ont peur, car existe toujours le risque de s'être trompés sur leurs sentiments.

RIVAL

Sans l'intrusion de l'autre, leur passion sombrait dans une molle paresse de sentiments. Mais elle est arrivée, jouant de ses différences, évidemment plus remarquables et troublantes puisque encore inconnues. Il fallait réagir. Elle s'attela dès lors à saper toute approche, jouant l'humour contre la séduction. Elle organisa sa défense, rameutant les copines à l'occasion. Elle s'offrit du même coup un grand bouleversement de sa personne. Plus tard, elle revint de la guerre épanouie et follement désirée.

RIVAL

Cette femme qui écoute et parle si bien lui plaît. Il sent qu'elle n'est pas non plus insensible. D'ailleurs, la conversation serait-elle aussi agréable s'il n'y avait ce désir entre eux ? Arrive un ami à elle. Les mots, tout à l'heure si brillants et légers, prennent du poids et de l'épaisseur. Elle paraît fatiguée. Et lui qui était délivré de la pesanteur se sent jaloux, sentiment qu'il abhorre. Il en déteste doublement l'intrus.

L'exigence
de l'amour

**Exigence, vérité, vigilance,
trois mots qui suggèrent
que l'amour n'est pas
forcément facile, n'est pas
qu'une partie de plaisir.**

• • •

L'amour est aussi un combat
de tous les instants.
La relation avec l'autre est une
construction de tous les jours.
Chaque jour on interroge
le comportement de l'autre
et on est interrogé par lui.
Et il n'est jamais question
de se défiler. Cela ne veut pas
dire que c'est un calvaire
et qu'il faut se torturer l'esprit.

SE POSER DES QUESTIONS

Mais il est risqué de croire
qu'on se comprend sans avoir
besoin de se parler tellement
on s'aime. Cela va toujours
mieux en le disant. Il est
risqué de croire que, puisqu'on
s'aime, on admet tout, on
pardonne tout, sans se poser
de questions. On n'admet tout

et on ne pardonne tout
qu'après mûre réflexion.
Construire un amour,
c'est offrir tous les jours
quelque chose à l'autre et c'est
admettre que l'autre n'en fasse
pas autant, mais ne pas
admettre qu'il n'ait pas
d'attention chaque jour.
C'est parler chaque jour de ce
que l'on pense de la relation
et c'est admettre que l'autre
ne parle pas chaque jour,
mais ne pas admettre qu'il
n'exprime jamais rien.
C'est comprendre les défauts
de l'autre, les tolérer
provisoirement,
mais ne jamais les admettre
définitivement et toujours
se battre contre.
C'est exiger constamment   ● ● ●

le meilleur de l'autre comme
on s'efforce de donner
le meilleur de soi-même.
Si chaque jour on pense
à l'autre, si chaque jour
on est plein du bonheur
d'aimer et d'être aimé, chaque
jour il faut aussi vérifier
qu'on n'a rien laissé échapper,
qu'on ne s'est pas laissé aller
à la facilité, qu'on a été
avec l'autre au plus près de sa
vérité, qu'on n'a pas remis au
lendemain un éclaircissement,
une générosité, une exigence,
une attention.

Construire un amour, c'est être
constamment exigeant
et vigilant, même si c'est être
constamment compréhensif
et indulgent.

S

SECRET • SÉDUCTION •SENSATION •
SÉPARATION • SOLITUDE

SECRET

Il cherche en elle le geste, le mot, le regard
qui, comme un ressort caché, ouvrirait le
tiroir secret d'un bonheur du jour.

SECRET

Elle cultive un jardin inaccessible. Un petit coin de sentiments, qu'elle a su défricher à force d'aventures. Ici, elle fait pousser des rêves d'amour, alignant les princes charmants comme des plants prometteurs. Ici, quand l'orage menace, elle vient enfouir ses tourments sous un gros tas d'arguments, chasse ses larmes et retrouve sa sérénité. Ici, elle est vraie, dans le secret.

SÉDUCTION

Pour ne pas tomber sous son emprise, il lui trouve quantité de défauts. Elle est légère et superficielle, frivole, irresponsable et menteuse, avec aplomb toujours. Elle ne tient jamais ses promesses. Sa coiffure est une chose idiote. Elle manque de goût et de sens pratique : ses vêtements sont trop courts et trop légers, elle a toujours froid. Mais, dès l'instant où elle lui sourit et lui parle, il la trouve vive et intelligente, extra-ordinairement intuitive, libre d'opinion, sûre de ses jugements, terriblement désirable. Et, bien qu'une petite lumière rouge l'avertisse qu'elle n'a qu'un but, le dominer, il se laisse éblouir, prêt à se damner pour la revoir encore.

SÉDUCTION

Elle est charmante. Ce n'est pas recherché, c'est sa nature. C'est une femme naturellement généreuse d'elle-même. Les hommes, surtout, apprécient. Ils rêvent d'être l'objet unique de toutes ses attentions et la désirent. Mais ils se trompent. Elle est ainsi avec chacun, homme ou femme. Ils se trompent *a priori* car, dès le moment où ils la désirent, elle se surprend à rêver d'être l'objet unique de toutes leurs attentions et commence à les désirer.

Si cela fait tant de mal d'aimer et de
recevoir l'électricité, combien il doit
être plus douloureux d'être une femme,
d'être l'électricité, d'inspirer l'amour.

B. Pasternak, *Docteur Jivago*, © Gallimard.

SENSATION

Il s'avance, la croise. Un courant la traverse. Est-ce son regard sur elle ? Elle se sent immédiatement en parfaite harmonie, comme la pièce d'un puzzle emboîtée dans sa complémentarité. Doit-elle le retenir ? Est-ce ainsi que naît l'amour ? Elle hésite quelques secondes. Il a disparu. Longtemps elle garde le goût amer de cette rencontre sans suite.

SENSATION

Le violoncelle est là, perché sur sa pique
dans un coin de l'atelier du luthier. Les
deux clés de *sol* inversées percent la caisse
et font deux entailles noires. Il éprouve
dans sa main gauche le manche à la touche
d'ébène et cale au mieux l'instrument entre
ses jambes. L'archet poudré de résine
mord la corde grave et, dans le soleil, la
colophane fait un nuage blanc. Il ressent la
vibration profonde, l'âme de l'instrument
qui se révèle à mesure qu'il joue, féminine
et puissante.

SÉPARATION

Elle est partie. Elle s'est enfuie d'un coup de pied dans la porte, comme on remonte à la surface, pour respirer. Un matin, dans un moment d'extrême lucidité, elle avait perçu le désastre. Ils vivaient sur les ruines d'un amour fou. L'armoire, la chaise, les livres, les habits et les draps éparpillés : la vérité avait des allures de sinistre comédie. Ils s'épuisaient dans le désir à retrouver quelques éclats de leur fusion. Mais soudain pour elle tout était faux. Elle suffoquait de terreur. Il l'aimait, elle devait s'enfuir.

SÉPARATION

Elle est partie. Il dort d'un sommeil sans rêve. Dans la chambre, un grand désordre. Revues et vêtements jonchent le sol. Leur amour a tout épuisé, il ne reste plus un seul endroit de lui-même qui ne soit pas dévasté. Il dort depuis longtemps. La sirène d'une usine mugit mais il ne bouge pas. Il n'entend pas. Il dort d'épuisement. Une seule de leurs journées était dix mille ans de temps. Quand il se réveille, il regarde autour de lui. Tout est redevenu normal. Il voit comme avant, avant elle. L'armoire, la chaise ont repris leur statut d'objets obstinés et impénétrables. Il mesure combien leur amour était profond et rendait toute chose extraordinaire.

SOLITUDE

Seule, à l'abri des dunes, elle capte les rayons pâles d'octobre. Elle lit pour chasser un amour fondu aux derniers jours de l'été. Une voix la tire hors de son livre. Sur la plage, une fille très jeune court jambes nues derrière le ressac où son rire se perd. Un grand garçon aux cheveux très longs et très blonds la poursuit, la rattrape et l'enveloppe. Ils roulent dans les vagues.
Seule, à l'abri des dunes, elle oublie sa lecture. Elle oublie la jeune fille, se glisse entre les vagues, ondule sur le jeune homme, comme une algue, se colle contre lui. Pendant quelques instants, avant que le sable humide et froid ne la ramène à sa solitude.

SOLITUDE

Il ne la connaît pas non plus lorsqu'il gît sur un lit et entend vibrionner les mouches. La solitude, il la connaît lorsqu'il lit l'indifférence dans les yeux de celle qu'il aime.

L'ennui
c'est de l'amour
qui s'apprête
en silence.

C. Bobin, *L'épuisement*, © Le temps qu'il fait.

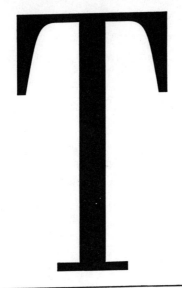

TEMPS • TENDRESSE •
TRAHISON • TROUBLE

TEMPS

Quelque chose en lui est ralenti. Son amour pour elle vit, immobile et indifférent à sa marche rapide dans la ville. Il s'agite, son amour prend tout son temps.

TEMPS

La nuit est à quelques tours d'aiguilles.
Elle ne distingue que le contour des objets
qui l'entourent. Et lui, assis devant elle.
Son visage n'est plus aussi clair, ses yeux
se confondent avec les ombres du soir.
Elle ne le voyait pas, elle s'en rend compte
maintenant. Il n'y avait que les mots, seulement les mots. Et leurs lumières, hors du
temps.

Je te rencontre.

Je me souviens de toi.

Cette ville était faite à la taille de l'amour.

Tu étais fait à la taille de mon corps même.

Qui es-tu ?

Tu me tues.

J'avais faim. Faim d'infidélités, d'adultères, de mensonges et de mourir.

Depuis toujours.

Je me doutais bien qu'un jour tu me tomberais dessus.

Je t'attendais dans une impatience sans borne, calme.

Dévore-moi. Déforme-moi à ton image afin qu'aucun autre, après toi, ne comprenne plus du tout le pourquoi de tant de désir.

Nous allons rester seuls, mon amour.

La nuit ne va pas finir.

Le jour ne se lèvera plus sur personne.

Jamais. Jamais plus. Enfin.

Tu me tues.

Tu me fais du bien.

Nous pleurerons le jour défunt avec conscience et bonne volonté.

Nous n'aurons plus rien d'autre à faire, plus rien que pleurer le jour défunt.

Du temps passera. Du temps seulement.

Et du temps va venir.

Du temps viendra. Où nous ne saurons plus du tout nommer ce qui nous unira. Le nom s'en effacera peu à peu de notre mémoire.

Puis, il disparaîtra tout à fait.

M. Duras, *Hiroshima mon amour*, © Gallimard.

TENDRESSE

Elle remarque un cil sur sa pommette et lui demande de faire secrètement un vœu. S'il devine où le cil se trouve, le vœu se réalisera. Il ferme les yeux, *faites qu'elle m'aime*, choisit sa joue gauche. Manqué ! Elle porte son index à la bouche, enlève le cil, le regarde dans les yeux et souffle délicatement.

TENDRESSE

Elle a cueilli les dernières roses du jardin qu'elle dispose dans un petit vase rond, son préféré. Elle fredonne, comme la chatte ronronne, un air d'accompagnement à son humeur paisible. Il adore la voir occupée à ces petites choses innocentes. Et, comme on délivre un bon point, il dépose un baiser dans son cou.

TRAHISON

Il ne lui demande aucun détail. Il sort dans
la rue. Il pleut, il relève le col de son manteau. C'est la nuit. Il ne connaît aucun
endroit où aller. Il trouve un banc, s'assoit
et pleure. Il souffre. La confiance de
l'enfant meurt en lui. Son premier amour le
trompe.

TRAHISON

Elle sait, il la trompe. Elle aurait préféré ne pas lire cette lettre sans équivoque et criante de bonheur. En la lisant, elle s'est définitivement interdit la joyeuse insouciance qui la porte dans l'existence. Elle voudrait revenir avant, quand elle chantonnait sans remords, quand elle dansait sans hésitation, quand elle le regardait sans honte, quand elle l'aimait sans mélancolie.

TROUBLE

Elle s'assied en relevant une mèche de cheveux échappée de son chignon et, sans un
regard pour lui, croise de longues jambes
dont il devine la pâleur sous le voile des
bas fumés. D'une main, elle maintient la
mèche rebelle et entreprend posément de
se recoiffer. Elle enlève des épingles de sa
chevelure qu'elle pince entre ses lèvres et
les replace à l'aveugle dans son chignon.
On entend le tic-tac d'une minuscule hor-
loge. Puis elle sort un miroir de son sac,
s'observe et, du dos de l'index, lisse ses
cils. Enfin, elle referme son sac et recroise
ses jambes, trop lentement, lui semble-t-il.

TROUBLE

Elle le connaît depuis longtemps. Ils ont joué ensemble, nagé, couru, travaillé coude à coude dans la même classe, sur le même bureau. Elle sait par cœur tous ses défauts : sa manière de renifler ou d'agiter sa jambe quand il réfléchit, cette habitude stupide de faire des boulettes avec le pain...

Un jour, plus tard, elle le rencontre. Elle veut l'embrasser mais ce n'est plus lui. Elle a peur de ses lèvres qui s'approchent. Elle voudrait reculer pour le retrouver. Mais ses grandes mains l'empoignent et ses yeux la bouleversent. Alors elle laisse son trouble s'enfuir dans un petit rire pointu.

L'amour, je l'avais toujours senti chez lui, tendre et timide, tantôt débordant, tantôt entravé de nouveau par une force toute-puissante, cet amour, je l'avais éprouvé et j'en avais joui dans chaque rayon tombé fugitivement sur moi. Cependant, lorsque le mot « amour » fut prononcé par cette bouche barbue, avec un accent de tendresse sensuelle, un frissonnement à la fois doux et effrayant passa bruyamment dans mes tempes. Et, malgré l'humilité et la compassion dont je brûlais devant lui et pour lui, moi jeune homme tout troublé, tout tremblant et tout surpris, je ne trouvai pas une parole pour répondre à sa passion qui se révélait à moi à l'improviste.

S. Zweig, *La Confusion des sentiments*,
traduction A. Hella et O. Bournac, © Stock.

Aimer

**Tellement ce sentiment
est riche et divers.**

● ● ●

Aimer... Tellement ce
sentiment rend tout
important, sérieux, essentiel ;
de l'amourette à la passion,
du désir à l'amour fou,
du tourment à la sérénité.
Tellement il nous libère
et nous permet d'exprimer
tout ce que nous sommes.
Tellement il recèle
d'incertitudes et de manières
de réagir, chez soi et chez
l'autre.
Tellement il mobilise en nous
d'énergie, de vitalité,
de dynamisme.
Tellement il rend admirable
tout ce que nous faisons pour
l'autre et tout ce que l'autre
fait pour nous,
et qui pourrait paraître
ridicule en temps ordinaire.

Tellement nous devenons
capables des choses les plus
folles, les plus téméraires
alors que nous sommes
en même temps stupéfaits
et terrifiés par ce qui
nous arrive.
Tellement il nous rend
meilleurs qu'à l'ordinaire et
tellement nous rendons l'autre
meilleur qu'à l'ordinaire, dans
tous les domaines.
Tellement il révolutionne notre
vie et la remplit totalement.
Sans règle, sans chemin tout
tracé.

Oui, aimer est sans aucun
doute l'expérience la plus
importante, la plus intense,
la plus essentielle que nous
puissions vivre.

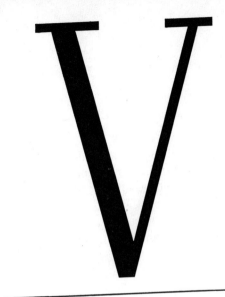

VOIX

VOIX

Un jour, il l'a appelée par son prénom.
D'habitude elle n'aime pas, elle préfère son
petit nom d'enfance. Ils rentraient d'un
concert en voiture. Elle venait de le dépo-
ser devant chez lui. Il a ouvert la portière,
il a sorti ses jambes, il a baissé la tête.
Alors, de dos, sans se retourner, il l'a appelée : deux syllabes posées sur du velours,
son prénom.

VOIX

Il boit du café assis dans un fauteuil large et rouge. La pluie est passée. Un rayon de soleil perce les grands arbres de la cour, illumine la bibliothèque. Il sort sur le perron, l'air est frais. Un moineau sautille sur le gravier. La lumière fait un baiser aux iris penchés. Il entend sa petite voix fragile, une voix d'étoile bleue qui lui chuchote un impératif très doux, *aime*.

Il fallait bien qu'un visage
Réponde à tous les noms du monde.

P. Éluard, *L'Amour, la poésie,* © Gallimard.

notes intimes

notes intimes

notes intimes

notes intimes

Photogravure ARG
Achevé d'imprimer sur les presses de Bussière Camedan Imprimeries
à Saint-Amand-Montrond
Dépôt légal : 3ᵉ trimestre 1996

Nᵒ d'éditeur : 1432. Nᵒ d'impression : 4/628
ISBN : 2-84146-362-1